PR 6003 .E282 T4 1972
Beckett, Samuel, 1906-
T^etes-mortes

Date Due

CT 13 1992			

BRODART   ed in U S A

D1598838

TÊTES-MORTES

OUVRAGES
DE SAMUEL BECKETT

Romans et Nouvelles

MURPHY.
WATT.
PEMIER AMOUR.
MERCIER ET CAMIER.
MOLLOY.
MALONE MEURT.
L'INNOMMABLE.
NOUVELLES (L'expulsé, Le calmant, La fin)
    ET TEXTES POUR RIEN.
COMMENT C'EST.

Théâtre, Télévision et Radio

EN ATTENDANT GODOT.
FIN DE PARTIE.
TOUS CEUX QUI TOMBENT.
LA DERNIÈRE BANDE, *suivi de* CENDRES.
OH LES BEAUX JOURS.
COMÉDIE ET ACTES DIVERS (Va et vient, Cas-
    cando, Paroles et musique, Dis Joe, Actes
    sans parole I et II, Film, Souffle).

En édition reliée

MOLLOY.
MALONE MEURT.
L'INNOMMABLE.
THÉATRE I (En attendant Godot, Fin de
    partie, Actes sans parole I et II).

SACRED HEART UNIVERSITY LIBRARY

SAMUEL BECKETT

TÊTES-MORTES

d'un ouvrage abandonné — assez
imagination morte imaginez
bing — sans

LES ÉDITIONS DE MINUIT

Première édition © 1967
édition augmentée © 1972
by Les Éditions de Minuit
7, rue Bernard-Palissy — Paris 6ᵉ
Tous droits réservés pour tous pays

SACRED HEART UNIVERSITY LIBRARY

d'un ouvrage abandonné

Ce texte a été traduit de l'anglais par Ludovic et Agnès Janvier en collaboration avec l'auteur.

Debout au petit matin ce jour-là, j'étais jeune alors, dans un état, et dehors, ma mère pendue à la fenêtre en chemise de nuit pleurant et gesticulant. Beau matin frais, clair trop tôt comme si souvent, mais alors dans un état, très violent. Le ciel allait bientôt foncer et la pluie tomber et tomber toujours, toute la journée, jusqu'au soir. Puis de nouveau bleu et soleil une seconde, puis nuit. Sentant tout ça, combien violent et la journée que ça allait être, je fis halte et demi-tour. Ainsi retour tête baissée à l'affût d'un escargot, limaçon ou ver. Grand amour au cœur aussi pour tout ce qui est fixe et à racine, cailloux, arbustes et similaires, trop nombreux à dire. Alors qu'un oiseau voyez-vous, ou un papillon, me voltigeant autour en travers de

9

ma route, tout ce qui bouge, en travers
de mon chemin, un limaçon tenez, se
mettant sous mes pieds, non, pas de
quartier. Dire que je me déroutais pour
les attraper, ça non, à distance souvent
ils semblaient fixes, puis l'instant
d'après ils m'arrivaient dessus. Des oiseaux j'en ai vu de ma vue perçante
voler si haut, si loin, qu'ils semblaient
au repos, puis l'instant d'après ils m'arrivaient tout autour, des corbeaux
m'ont fait ça. Les canards c'est peut-
être le pire, se voir soudain en train
de trépigner et de trébucher au milieu
des canards, ou des poules, peu importe
la volaille, il n'y a guère pire. Et même
si évitable ce genre de chose pas question que je me déroute pour l'éviter,
non, tout simplement pas question que
moi je me déroute, tout en n'ayant été
de ma vie en route pour quelque part,
mais tout simplement en route. Et c'est
ainsi que ma route m'a jeté jusqu'au
sang au travers d'épais taillis et en-
foncé dans des marais, dans l'eau aussi
et jusque dans la mer quand ça lui

prenait, si bien que je la perdais ou devais reculer sous peine de noyade. Et c'est ainsi peut-être que je mourrai enfin s'ils ne m'attrapent pas, je veux dire noyé, ou dans les flammes, oui, peut-être ainsi que j'y arriverai enfin, fonçant furieux tête baissée dans les flammes et mourant torche vivante. Puis je levai les yeux et vis ma mère toujours à la fenêtre gesticulant pour que je revienne ou m'en aille, je ne sais pas, ou sans raison, sans autre rai-son que son pauvre amour impuissant, et j'entendis faiblement ses cris. Le tour de la fenêtre était vert pâle, le mur de la maison gris et ma mère blanche et si mince qu'elle laissait pas-ser mon regard, perçante ma vue alors, jusqu'au fond sombre de la chambre, et en plein sur tout ça le soleil encore bas à l'orient, et tout ça petit à cause de la distance, très joli vraiment le tout, je le revois, le vieux gris et puis le mince tour vert et le blanc mince sur fond sombre, si seulement elle avait pu rester tranquille et me laisser con-

11

templer. Mais non, pour une fois que
je voulais rester sur place à contempler
quelque chose pas moyen à cause du
tumulte qu'elle déchaînait à la fenêtre
avec ses gesticulations et trémousse-
ments et balancements comme si elle
faisait des exercices et elle en faisait
peut-être en effet, moi je veux bien,
sans se soucier de moi le moins du
monde. Aucune suite dans les idées,
voilà un autre côté qui me déplaisait
chez elle. Il y avait la semaine des
exercices, puis celle des prières avec
lecture de la bible, puis celle du jardi-
nage, puis celle du piano et du chant,
ça c'était atroce, puis une semaine rien
qu'à traînailler et flemmasser, aucune
ténacité. Oh ce n'est pas moi que ça
dérangeait, j'étais toujours dehors.
Mais vite la suite de cette journée qui
m'est venue pour commencer, une autre aurait tout aussi bien fait l'affaire,
oui, la suite et en finir et à la suivante,
trêve de ma mère pour l'instant. Eh
bien d'abord pas d'histoire, tout va
bien, pas d'oiseaux après moi, rien en

12

travers de mon chemin sauf dans le lointain un cheval blanc suivi d'un garçon, ou ça pouvait être un homme ou une femme de petite taille. C'est là le seul cheval entièrement blanc dont je me souvienne, ce que les Allemands appellent un Schimmel si j'ai bonne mémoire, ah jeunot quelle vivacité, quelle faim de connaissance, Schimmel, joli mot, pour une oreille anglaise. Le soleil donnait en plein sur lui, comme tantôt sur ma mère, et j'ai cru voir lui zébrant le flanc une sorte de bande ou raie rouge, peut-être une sous-ventrière, peut-être qu'il allait quelque part pour être attelé, à une carriole ou similaire. Il traversa mon chemin dans le lointain, puis disparut, dans la verdure sans doute, je n'ai vu que la soudaine apparition du cheval, puis sa disparition. Il brillait blanc vif au soleil, je n'avais jamais vu un tel cheval, depuis le temps que j'en entendais parler, et ne devais plus jamais en revoir. Le blanc, je dois dire que le blanc m'a toujours fait une grosse impression, tout ce qui

13

est blanc, draps, murs et cætera, même
les fleurs, et puis le blanc tout court,
l'idée du blanc, sans plus. Mais vite la
suite de cette journée et en finir. Eh
bien d'abord tout va bien, pas d'histoire, rien que la violence et puis ce
cheval blanc, quand soudain je piquai
une rage des plus sauvages, proprement
aveuglante. Or pourquoi cette rage soudaine je n'en sais vraiment rien, ces
rages soudaines, elle faisaient de ma
vie un enfer. Bien d'autres choses en
faisaient autant, mon angine par exemple, je n'ai jamais su ce que c'est que
d'être sans angine, mais le pire c'était
les rages, comme un grand vent se levant soudain en moi, non, je ne trouve
pas les mots. Ce n'était pas la violence
qui s'aggravait en tout cas, rien à voir,
certains jours je pouvais me sentir violent du matin au soir et jamais l'ombre
d'une rage, d'autres relativement doux
comme un agneau et en piquer quatre
ou cinq. Non, ça dépasse l'entendement, tout dépasse l'entendement, pour
un esprit comme moi je l'ai toujours eu,

toujours guettant pour se contrer, j'y reviendrai peut-être quand je me sentirai moins faible. Il fut un temps où j'essayais de me soulager en me tapant la tête contre quelque chose, mais j'y ai renoncé. Le mieux à tout prendre était de partir à toutes jambes. Je dois peut-être signaler ici que j'étais un marcheur très lent. Je ne traînais pas, je ne flânais pas, rien à voir, je marchais très lentement, un point c'est tout, petits pas courts et le pied une fois en l'air très lent à retrouver le sol. En revanche j'ai dû être de loin parmi les coureurs les plus rapides que la terre ait jamais portés, sur une courte distance, cinq ou dix mètres, une seconde et j'étais rendu. Mais je ne pouvais pas tenir à cette allure, non pas faute de souffle, c'était mental, tout est mental, chimères. Avec ça aussi inapte au petit trot qu'un myriapode. Non, chez moi tout était lent, puis soudain vlan, l'éclair, l'élan, hors le for, encore une de ces choses que je rabâchais sans arrêt tout en allant mon

15

chemin, hors le for, hors le for. Une veine que mon père soit mort quand j'étais encore jeune, sinon j'aurais pu finir professeur, c'était son rêve. Elève plus qu'honnête au demeurant, rien dans le crâne, mais une mémoire bœuf. Un jour je lui exposai la cosmologie de Milton, nous étions là-haut dans la montagne, adossés à un énorme rocher face à la mer lointaine, ça lui fit une grosse impression. L'amour aussi, jeune j'y pensais souvent, mais pas tellement comparé aux autres, ça m'empêchait de dormir à la longue. Jamais aimé personne à mon avis, je m'en souviendrais. Sauf en rêve, et là c'était des animaux, des animaux de rêve, aucun rapport avec ce qu'on peut voir par les campagnes, je ne trouve pas les mots, des créatures délicieuses, blanches pour la plupart. En un sens c'est peut-être dommage, une bonne épouse aidant je serais peut-être quelqu'un à l'heure qu'il est, je serais peut-être vautré au soleil à téter ma pipe en tapotant les fesses des troisième et quatrième gé-

16

nérations, considéré et respecté de tous, me demandant ce qu'il va y avoir au dîner, au lieu de traîner la savate sur les mêmes vieux chemins par tous les temps, je n'ai jamais eu le goût de l'exploration. Non, je ne regrette rien, tout ce que je regrette c'est d'avoir vu le jour, c'est si long, mourir, je l'ai toujours dit, si lassant, à la longue. Mais vite la suite, après le cheval blanc, puis la rage, aucun rapport je présume. Mais à quoi bon continuer cette histoire, je ne sais pas, un jour je dois finir, pourquoi pas maintenant ? Mais ce sont là des pensées, pas les miennes, n'empêche, honte sur moi. C'est que maintenant je suis vieux et faible, c'est dans la souffrance et la faiblesse que je murmure pourquoi et me tais, et les vieilles pensées de monter en moi comme une onde et jusque dans ma voix, les vieilles pensées nées avec moi et grandies avec moi et refoulées aux abîmes, en voilà une autre. Non, retrouvons cette journée lointaine, n'importe quelle journée lointaine, et les yeux qui se lèvent de l'obscure terre donnée vers les choses qu'elle porte et de là le ciel, puis se baissent, se lèvent et se baissent, et les pieds qui ne vont nulle part, qui retournent seulement comme ils peuvent à la maison, qui le matin s'éloignent de la maison et le soir y retournent, et le son de ma voix du matin au soir marmonnant sans que je l'écoute les vieilles choses de toujours, ma voix ni mienne ni voix le soir venu, comme un ouistiti à la queue touffue assis sur mon épaule à me tenir compagnie. Tout ce parler tout bas et rauque, rien d'étonnant mon angine. Je dois peut-être signaler ici que je ne parlais jamais à personne, mon père a dû être le dernier à qui j'ai parlé. Ma mère était pareille, ne parlait plus, ne répondait plus, sinon seule, depuis la mort de mon père. Je lui ai demandé l'argent, je ne peux pas m'en cacher, ça a dû être mes derniers mots pour elle. Quelquefois elle criait après moi, ou m'implorait, mais ça ne durait pas, juste quelques cris, puis les vieilles lèvres serrées dur, si je levais les yeux, et le corps de biais et rien que le coin de l'œil vers moi, mais c'était rare. Quelquefois la nuit je l'entendais qui parlait toute seule, enfin je suppose, ou priait tout haut, ou lisait tout haut, ou repassait ses hymnes, la pauvre. Eh bien après le cheval et la rage je ne sais plus, en avant, aussi simple que ça, puis sans doute la lente volte-face, virant peu à peu de droite ou de gauche, jusqu'au demi-tour, puis retour. Ah mon père et ma mère, dire qu'ils doivent être au paradis, bons comme ils l'étaient. Aller en enfer, c'est la grâce que je demande, et là continuer à les maudire, et eux qu'ils me voient de là-haut et m'entendent, ça pourrait lui couper la chique à leur félicité. Oui, je crois toutes leurs conneries sur la vie future, ça me remonte, et pour du malheur comme le mien pas de néant qui tienne. J'étais fou bien sûr et le suis toujours, mais inoffensif, je passais pour inoffensif, elle est bien bonne. Oh je n'étais pas vraiment fou, seule-

ment bizarre, un peu bizarre, et d'année en année un peu plus, il ne doit
pas y avoir à l'air libre beaucoup de
créatures plus bizarres que moi au jour
d'aujourd'hui. Mon père, l'ai-je tué lui
aussi aussi bien que ma mère, peut-être
bien qu'oui en un sens, mais plus question de me casser la tête avec ça, beaucoup trop vieux et faible. Les questions
remontent comme je vais mon chemin
et me brouillent les esprits, c'est la
débandade. Tout à coup elles sont là,
non, elles remontent du fond d'un vieil
abîme et flottent et traînent avant de
s'évanouir, questions lesquelles quand
j'avais toute ma tête auraient crevé à
l'instant même, pulvérisées, avant de
pouvoir seulement se formuler, pulvérisées. A deux souvent elles venaient,
paf l'une sur l'autre. Exemple, Comment tiendrai-je un jour de plus ? et
puis, Comment ai-je jamais tenu un
jour de plus ? Ou encore, Ai-je tué
mon père ? et puis, Ai-je jamais tué
personne ? Comme ça, au général du
particulier en somme si l'on veut, ques-

tion et réponse aussi en un sens, à
devenir maboul. Je les combats de mon
mieux, pressant le pas quand elles me
prennent, secouant et hochant la tête
avec fureur, fusillant les choses d'un
œil affolé, poussant mon murmure jusqu'au cri, ce sont là des secours. Mais
ils ne devraient pas être nécessaires,
il y a un vice quelque part, si c'était la
fin je m'en arrangerais, mais combien
de fois j'ai dit, devant quelque nouvelle
atrocité, C'est la fin, et ce n'était pas
la fin, et pourtant la fin ne peut plus
être bien loin, je vais tomber tout en
allant mon chemin pour ne plus me
relever ou me lover pour la nuit comme
d'habitude parmi les rochers et avant
l'aube plus personne. Oh je sais que
moi aussi je vais finir et être comme
avant d'être, sauf que tout bu au lieu
d'à boire, ça fait mon bonheur, et souvent mon murmure faiblit et se meurt
et je pleure de bonheur tout en allant
mon chemin et d'amour de cette vieille
terre qui me porte depuis si longtemps
sans jamais se plaindre comme moi

bientôt je ne me plaindrai plus. Je vais commencer presque à fleur, puis me défaire et partir à la dérive au travers de toute la terre et peut-être enfin d'une falaise jusque dans la mer, un reste de moi. Une tonne de vers à l'arpent, voilà une pensée merveilleuse, une tonne de vers, je ne dis pas non. D'où m'est-elle venue, d'un rêve, ou d'un livre de jeunesse lu dans un coin, ou d'un mot surpris comme j'allais mon chemin, ou en moi depuis toujours ensevelie en attendant de pouvoir me donner de la joie, voilà le genre de vile pensée que je dois combattre de la façon que j'ai dite. Mais n'y a-t-il rien à ajouter à cette journée avec le cheval blanc et blanche mère à la fenêtre, relire plus haut mes descriptions les concernant, avant de passer à une au-tre plus loin, rien à ajouter avant de pousser plus avant dans le temps en sautant des centaines voire des milliers de journées comme pas moyen à l'épo-que où il me fallait les tirer tant bien que mal l'une après l'autre avant d'en

22

arriver à celle où maintenant j'en arrive, non, rien, tout a disparu sauf ma
mère à la fenêtre, le cheval, la violence,
la rage, la pluie. Vite donc cette
deuxième journée et en finir et m'en
délivrer et à la suivante. Eh bien me
voilà pour commencer assailli et pour-
suivi par une famille ou tribu, je ne
sais pas, d'hermines, chose à peine
croyable, il m'a semblé des hermines.
Même que j'ai eu de la chance, si j'ose
dire, de m'en tirer vivant, étrange pro-
position, elle doit boîter quelque part.
Tout autre se serait fait mordre et sai-
gner à mort, peut-être même sucer à
blanc comme un lapin, revoilà ce mot
blanc. Je n'ai jamais su penser, je le
sais, mais si je l'avais su, et fait alors,
je me serais simplement couché et
laissé vider, à l'image du lapin. Mais
le matin d'abord comme toujours et le
départ. Quand une journée revient,
pour une raison ou pour une autre,
son matin et son soir sont là aussi, si
peu remarquables qu'ils soient en eux-
mêmes, le départ et le retour, voilà ce

que je trouve remarquable. Debout
donc dans le gris de l'aube, faible et
flageolant comme il n'est pas permis
ayant passé une nuit atroce, loin de
me douter de ce qui m'attendait, dehors
et en route. Quel moment de l'année,
je n'en sais vraiment rien, quelle im-
portance ? Pas une vraie pluie, mais
des gouttes, partout des gouttes, un
temps à pouvoir se lever, mais non,
goutte goutte du matin au soir, pas
de soleil, la même lumière grise, silence de mort, rien qui bouge, pas un
souffle, jusqu'à la nuit, puis noir, et
un peu de vent, je vis quelques étoiles
comme j'approchais de la maison. Mon
bâton bien sûr, providentiellement, je
ne le redirai plus, sauf avis contraire
j'ai mon bâton à la main, tout en allant mon chemin. Mais pas ma houppelande, rien que ma veste, je n'ai jamais pu souffrir la houppelande, me
flottant et claquant autour des jambes,
ou plutôt un jour soudain je me pris
à la haïr, d'une haine soudaine et vio-
lente. Il m'arrivait souvent, déjà mis

pour la route, de la sortir et même de
la mettre, après quoi je restais planté
là au milieu de la pièce privé de mouvement en attendant de pouvoir l'en-
lever et la rentrer dans l'armoire, sur
son cintre. Mais à peine au bas de l'es-
calier et sorti à l'air libre voilà que le
bâton me tombe des mains et moi de
m'effondrer sur le sol à genoux et de
là sur ma lancée à plat ventre, chose
à peine croyable, et puis au bout d'un
moment de me renverser sur le dos,
je n'ai jamais pu rester bien longtemps
face à terre, j'avais beau aimer ça,
l'envie de rendre était la plus forte,
et de rester là étendu une demi-heure
peut-être, les bras le long du corps et
les paumes contre le gravier et les yeux
grands ouverts errant parmi le ciel. Or
était-ce là ma première expérience de
la sorte, voilà la question qui d'emblée
vous assaille. La chute classique m'était
familière, après laquelle sauf membre
cassé on se ramasse séance tenante et
reprend son chemin, en maudissant
Dieu et les hommes, aucun rapport

avec celle-ci. Sorti de la tête presque
tout ce qui fut comment remonter à
l'unique venin thème des variantes
sans nombre qui l'une après l'autre
la vie durant vous font l'affaire à doses
dégressives jusqu'à ce que tout de
même mort s'ensuive. Si bien qu'en un
sens à chaque assaut chose ancienne
est chose neuve, pas deux souffles pa-
reils, rien qui ne soit ressassement sans
fin et rien qui une seconde fois revienne. Mais maintenant debout et vite
la suite de cette journée funeste et en
finir et à la suivante. Mais à quoi ça
sert de continuer cette histoire, à rien.
Journées hors mémoire l'une après l'autre jusqu'à la mort de ma mère, puis
dans un nouvel endroit vite ancien
jusqu'à la mienne. Et parvenu enfin à
cette nuit-ci parmi les rochers avec
mes deux livres et la grande clarté
des étoiles elle se sera éloignée de moi,
tout comme hier, mes deux livres, le
petit et le grand, tout ça disparu au
loin, sinon peut-être quelques moments épars, ce petit bruit peut-être

que je ne comprends pas de sorte que je rassemble mes affaires et rentre dans mon trou, moments si passés qu'on peut les dire. Passé, passé, il y a une place dans mon cœur pour tout ce qui est passé, non, pour l'être passé, j'ai l'amour du mot, les mots ont été mes seules amours, quelques-uns. Souvent je le disais du matin au soir, tout en allant mon chemin, et par moments j'entendais, Epasse, épasse. Oh sans cette affreuse bougeotte que j'ai toujours eue j'aurais vécu ma vie enfermé dans une grande pièce vide à échos, avec une grande pendule ancienne, rien qu'à écouter et à somnoler, le coffre ouvert pour que je puisse voir le balancier, suivant des yeux son va-et-vient, et les poids de plomb pendillant de plus en plus bas jusqu'à ce que je me lève de ma bergère et les remonte, une fois par semaine. La troisième journée ce fut le regard que me porta le cantonnier, ça me revient à l'instant, la vieille brute en haillons courbée en deux dans le

fossé appuyée sur sa bêche si c'en était
une et me visant de biais de sous le
bord de son vieux feutre, la bouche
rouge, même étonnant que je l'aie
vu, voilà, j'y suis, la journée où je
vis le regard que me porta Balfe, en-
fant je le craignais comme le mauvais
œil. Maintenant il est mort et je lui res-
semble. Mais vite la suite et en finir
avec ces vieilles scènes et en arriver à
celles-ci et à ma récompense. Alors ce
ne sera plus comme maintenant, sortir,
aller, virer, rentrer, journées une à une
à tourner comme des pages ou à jeter
froissées au loin, mais un long aujour-
d'hui sans avant ni après, lumière ni
ombre, depuis ni jusque, la vieille demi-
conscience d'où effacée, et de quand,
et de quoi, mais de ces sortes de choses
encore, se confondant en une seule, et
allant s'effaçant, jusqu'à plus rien, il
n'y eut jamais rien, ne peut jamais rien
y avoir, vie et mort rien de rien, cette
sorte de chose, rien qu'une voix rêvant
et marmonnant tout autour, ça c'est
quelque chose, la voix jadis dans votre

bouche. Eh bien une fois franchie la
grille et sur la route quoi alors, je n'en
sais vraiment rien, quand je me re-
trouve je suis déjà là-haut dans les
fougères, sabrant de droite et de gauche avec mon bâton à en faire gicler
les gouttes et jurant, des ordures, les
même obscénités sans arrêt, j'espère
que personne ne m'entendait. Gorge
en feu, avaler un supplice, et avec ça
une oreille qui commençait à lâcher,
j'avais beau y trifouiller, rien n'y faisait, de la vieille cire sans doute pesant
sur le vieux tympan. Calme extraordi-
naire sur toute la nature et en moi
aussi tout parfaitement calme, une
coïncidence, pourquoi ce torrent de
jurons je n'en sais vraiment rien, non,
ne dis pas de bêtises, et sabrer avec le
bâton comme je le faisais, quelle folie
me possédait, moi si doux et faible et
qui n'en pouvais plus d'aller mon chemin. Est-ce les hermines à présent,
non, d'abord je m'effondre de nouveau, comme ça, et disparais dans les
fougères, je les avais jusqu'à la taille,

tout en allant mon chemin. Qu'elles sont grièches ces grandes fougères, comme empesées, presque du bois, tiges terribles, vous arracher la peau des jambes à travers le pantalon, et puis les gouffres qu'elles cachent, vous casser la jambe le moindre faux pas, quel français, j'espère que personne ne le lira, tomber ni vu ni connu, croupir là des semaines et personne vous entendre, j'ai souvent pensé à ça là-haut dans la montagne, non, ne dis pas de bêtises, simplement allais mon chemin toujours, mon corps faisant de son mieux sans moi.

(1957)

assez

Tout ce qui précède oublier. Je ne peux pas beaucoup à la fois. Ça laisse à la plume le temps de noter. Je ne la vois pas mais je l'entends là-bas derrière. C'est dire le silence. Quand elle s'arrête je continue. Quelquefois elle refuse. Quand elle refuse je continue. Trop de silence je ne peux pas. Ou c'est ma voix trop faible par moments. Celle qui sort de moi. Voilà pour l'art et la manière.

Je faisais tout ce qu'il désirait. Je le désirais aussi. Pour lui. Chaque fois qu'il désirait une chose moi aussi. Pour lui. Il n'avait qu'à dire quelle chose. Quand il ne désirait rien moi non plus. Si bien que je ne vivais pas sans désirs. S'il avait désiré une chose pour moi je l'aurais désirée aussi. Le bonheur par

exemple. Ou la gloire. Je n'avais que
les désirs qu'il manifestait. Mais il devait les manifester tous. Tous ses désirs et besoins. Quand il se taisait il
devait être comme moi. Quand il me
disait de lui lécher le pénis je me jetais
dessus. J'en tirais de la satisfaction.
Nous devions avoir les mêmes satisfactions. Les mêmes besoins et les mêmes
satisfactions.

Un jour il me dit de le laisser. C'est
le verbe qu'il employa. Il ne devait
plus en avoir pour longtemps. Je ne
sais pas si en disant cela il voulait que
je le quitte ou seulement que je m'éloi-
gne un instant. Je ne me suis pas posé
la question. Je ne me suis jamais posé
que ses questions à lui. Quoi qu'il en
soit je filai sans me retourner. Hors de
portée de sa voix j'étais hors de sa vie.
C'est peut-être ce qu'il désirait. On
voit des questions sans se les poser.
Il ne devait plus en avoir pour longtemps. Moi en revanche j'en avais encore pour longtemps. J'étais d'une tout

autre génération. Ça n'a pas duré. Maintenant que je pénètre dans la nuit j'ai
comme des lueurs dans le crâne. Terre
ingrate mais pas totalement. Donné
trois ou quatre vies j'aurais pu arriver
à quelque chose.

Je devais avoir dans les six ans
quand il me prit par la main. Je sor-
tais de l'enfance à peine. Mais je ne
tardai pas à en sortir tout à fait.
C'était la main gauche. Etre à droite
le mettait au supplice. Nous avancions
donc de front la main dans la main.
Une paire de gants nous suffisait. Les
mains libres ou extérieures pendaient
nues. Il n'aimait pas sentir contre sa
peau une peau étrangère. Les mu-
queuses ce n'est pas pareil. Il lui arrivait néanmoins de se déganter. Il me
fallait alors en faire autant. Nous par-
courions ainsi une centaine de mètres
les extrémités se touchant nues. Rarement davantage. Ça lui suffisait. Si
l'on me posait la question je dirais que
les mains dépareillées sont peu faites

pour l'intimité. La mienne ne trouva
jamais sa place dans la sienne. Quelquefois elles se lâchaient. L'étreinte
mollissait et elles tombaient chacune
de son côté. De longues minutes souvent avant qu'elle se reprennent. Avant
que la sienne reprenne la mienne.

C'étaient des gants de fils assez col-
lants. Loin d'amortir les formes ils les
accusaient en les simplifiant. Le mien
était naturellement trop lâche pendant
des années. Mais je ne tardai pas à le
remplir. Il me trouvait des mains de
Verseau. C'est une maison du ciel.

Tout me vient de lui. Je ne le redirai
pas chaque fois à propos de telle et
telle connaissance. L'art de combiner
ou combinatoire n'est pas ma faute.
C'est une tuile du ciel. Pour le reste
je dirais non coupable.

Notre rencontre. Tout en étant très
voûté déjà il me faisait l'effet d'un
géant. Il finit par avoir le tronc à l'ho-

rizontale. Pour balancer cette anoma-
lie il écartait les jambes et ployait les
genoux. Ses pieds de plus en plus plats
se tournaient vers l'extérieur. Son
horizon se bornait au sol qu'il foulait.
Minuscule tapis mouvant de turf et de
fleurs écrasées. Il me donnait la main
à la manière d'un grand singe fatigué
en levant le coude au maximum. Je
n'avais qu'à me redresser pour le dé-
passer de trois têtes et demie. Un jour
il s'arrêta et m'expliqua en cherchant
ses mots que l'anatomie est un tout.

Au début quand il parlait c'était tout
en allant. Il me semble. Ensuite tantôt
allant et tantôt arrêté. Enfin arrêté
uniquement. Avec ça toujours plus bas.
Pour lui éviter d'avoir à dire la même
chose deux fois à la file je devais m'in-
cliner profondément. Il s'arrêtait et
attendait que je prenne la pose. Dès
que du coin de l'œil il entrevoyait
ma tête à côté de la sienne il lâchait
ses murmures. Neuf fois sur dix ils ne
me concernaient pas. Mais il voulait

que tout soit entendu et jusques aux éjaculations et bribes de patenôtres qu'il lançait au sol fleuri.

Il s'arrêta donc et attendit que ma tête arrive avant de me dire de le laisser. Je dégageai prestement ma main et filai sans me retourner. Deux pas et il me perdait à jamais. Nous nous étions scindés si c'est cela qu'il désirait.

Il causait rarement géodésie. Mais nous avons dû parcourir plusieurs fois l'équivalent de l'équateur terrestre. A raison d'environ cinq kilomètres par jour et nuit en moyenne. Nous nous réfugiions dans l'arithmétique. Que de calculs mentaux effectués de concert pliés en deux ! Nous élevions ainsi à la troisième puissance des nombres ternaires entiers. Parfois sous une pluie diluvienne. Tant bien que mal se gravant au fur et à mesure dans sa mémoire les cubes s'accumulaient. En vue de l'opération inverse à un stade ulté-

rieur. Quand le temps aurait fait son
œuvre.

Si l'on me posait la question dans
les formes voulues je dirais que oui
en effet c'est la fin de cette promenade
qui fut ma vie. Disons les quelque onze
mille derniers kilomètres. A compter
du jour où pour la première fois il me
toucha un mot de son infirmité en disant qu'à son avis elle avait atteint son
sommet. L'avenir lui donna raison. Celui tout au moins dont nous allions
faire du passé ensemble.

Je vois les fleurs à mes pieds et ce
sont les autres que je vois. Celles que
nous foulions en cadence. Ce sont d'ailleurs les mêmes.

Contrairement à ce que je m'étais
longtemps plu à imaginer il n'était pas
aveugle. Seulement paresseux. Un jour
il s'arrêta et en cherchant ses mots me
décrivit sa vue. Il conclut en disant
qu'à son avis elle ne baisserait plus.

Je ne sais pas jusqu'à quel point il ne se faisait pas illusion. Je ne me suis pas posé la question. Quand je m'inclinais pour recevoir la communication j'entrevoyais qui louchait vers moi un œil rose et bleu apparemment impressionné.

Il lui arrivait de s'arrêter sans rien dire. Soit que finalement il n'eût rien à dire. Soit que tout en ayant quelque chose à dire il y renonçât finalement. Je m'inclinais comme d'habitude pour qu'il n'ait pas à se répéter et nous restions ainsi. Pliés en deux les têtes se touchant. Muets la main dans la main. Pendant que tout autour de nous les minutes s'ajoutaient aux minutes. Tôt ou tard son pied s'arrachait aux fleurs et nous repartions. Quitte à nous arrêter de nouveau au bout de quelques pas. Pour qu'il dise enfin ce qu'il avait sur le cœur ou de nouveau y renonce.

D'autres cas principaux se présen-

tent à l'esprit. Communication continue immédiate avec redépart immédiat.
Même chose avec redépart retardé.
Communication continue retardée avec
redépart immédiat. Même chose avec
redépart retardé. Communication discontinue immédiate avec redépart immédiat. Même chose avec redépart
retardé. Communication discontinue
retardée avec redépart immédiat.
Même chose avec redépart retardé.

C'est donc alors que j'aurai vécu ou
jamais. Dix ans au bas mot. Depuis le
jour où ayant promené longuement sur
ses ruines sacrées le dos de la main
gauche il lança son pronostic. Jusqu'à
celui de ma disgrâce supposée. Je revois l'endroit à un pas de la cime. Deux
pas droit devant moi et déjà je déva-
lais l'autre versant. En me retournant
je ne l'aurais pas vu.

Il aimait grimper et moi aussi par
conséquent. Il réclamait les pentes les
plus raides. Son corps humain se dé-

composait en deux segments égaux.
Ceci grâce au fléchissement des genoux
qui raccourcissait l'inférieur. Par une
rampe de cinquante pour cent sa tête
frôlait le sol. Je ne sais pas à quoi il
devait ce goût. A l'amour de la terre
et des mille parfums et teintes des
fleurs. Ou plus bêtement à des impé-
ratifs d'ordre anatomique. Il n'a jamais soulevé la question. Le sommet
atteint hélas il fallait redescendre.

Pour pouvoir de temps à autre jouir
du ciel il se servait d'une petite glace
ronde. L'ayant voilée de son souffle et
ensuite frottée contre son mollet il y
cherchait les constellations. Je l'ai !
s'écriait-il en parlant de la Lyre ou
du Cygne. Et souvent il ajoutait que
le ciel n'avait rien.

Nous n'étions pas à la montagne cependant. Je devinais par instants à
l'horizon une mer dont le niveau me
paraissait supérieur au nôtre. Serait-ce
le fond de quelque vaste lac évaporé ou

42

vidé par le bas ? Je ne me suis pas posé la question.

Toutes ces notions sont de lui. Je ne fais que les combiner à ma façon. Donné quatre ou cinq vies comme celle-là j'aurais pu laisser une trace.

N'empêche que survenaient assez souvent ces sortes de pains de sucre hauts d'une centaine de mètres. Je levais à regret les yeux et repérais le plus proche souvent à l'horizon. Ou au lieu de nous éloigner de celui d'où nous venions de descendre nous l'escaladions de nouveau.

Je parle de notre dernière décennie comprise entre les deux événements que j'ai dits. Elle recouvre les précédentes qui ont dû lui ressembler comme des sœurs. C'est à ces années englouties qu'il est raisonnable d'imputer ma formation. Car je ne me souviens d'avoir rien appris pendant celles dont j'ai souvenir. C'est avec ce raisonnement

que je me calme quand je tombe en
arrêt devant mon savoir.

J'ai situé ma disgrâce tout près d'un
sommet. Eh bien non ce fut sur le plat
dans un grand calme. En me retournant je l'aurais vu là même où je l'avais
laissé. Un rien m'aurait fait comprendre
ma méprise si méprise il y eut. Dans
les années qui suivirent je n'excluais
pas la possibilité de le retrouver. Là
même où je l'avais laissé sinon ailleurs.
Ou de l'entendre m'appeler. Tout en
me disant qu'il n'en avait plus pour
longtemps. Mais je n'y comptais pas
trop. Car je ne levais guère les yeux
des fleurs. Et lui n'avait plus de voix.
Et comme si cela ne suffisait pas j'allais
me répétant qu'il n'en avait plus pour
longtemps. De sorte que je ne tardai
pas à ne plus y compter du tout.

Je ne sais plus le temps qu'il fait.
Mais du temps de ma vie il était d'une
douceur éternelle. Comme si la terre
s'était endormie au point vernal. Je

parle de notre hémisphère à nous. De lourdes pluies perpendiculaires et brèves nous cueillaient à l'improviste. Sans assombrissement sensible du ciel. Je n'aurais pas remarqué l'absence de vent s'il n'en avait pas parlé. Du vent qui n'était plus. Des tempêtes qui l'avaient laissé debout. Il faut dire qu'il n'y avait rien à emporter. Les fleurs elles-mêmes étaient sans tige et plaquées au sol à la manière des nénuphars. Plus question qu'elles brillent à la boutonnière.

Nous ne comptions pas les jours. Si j'arrive à dix ans c'est grâce à notre podomètre. Parcours final divisé par parcours journalier moyen. Tant de jours. Diviser. Tel chiffre la veille du jour du sacrum. Tel autre la veille de ma disgrâce. Moyenne journalière toujours à jour. Soustraire. Diviser.

La nuit. Longue comme le jour dans cet équinoxe sans fin. Elle tombe et nous continuons. Nous repartons avant l'aube.

Pose au repos. Pliés en trois emboîtés l'un dans l'autre. Deuxième équerre aux genoux. Moi à l'intérieur. Comme un seul homme nous changions de flanc quand il en manifestait le désir. Je le sens la nuit contre moi de tout son long tordu. Plus que de dormir il s'agissait de s'étendre. Car nous marchions dans un demi-sommeil. De la main supérieure il me tenait et touchait là où il voulait. Jusqu'à un certain point. L'autre se retenait à mes cheveux. Il parlait tout bas des choses qui pour lui n'étaient plus et pour moi n'avaient pu être. Le vent dans les tiges aériennes. L'ombre et l'abri des forêts.

Il n'était pas bavard. Cent mots par jour et nuit en moyenne. Echelonnés. Guère plus d'un million au total. Beaucoup de redites. D'éjaculations. De quoi effleurer la matière à peine. Que sais-je du destin de l'homme ? Je ne me suis pas posé la question. Je suis davantage au courant des radis. Eux il les avait aimés. Si j'en voyais un je le nommerais sans hésitation.

Nous vivions de fleurs. Voilà pour la sustentation. Il s'arrêtait et sans avoir à se baisser attrapait une poignée de corolles. Puis repartait en mâchonnant. Elles exerçaient dans l'ensemble une action calmante. Nous étions dans l'ensemble calmes. De plus en plus. Tout l'était. Cette notion de calme me vient de lui. Sans lui je ne l'aurais pas eue. Je m'en vais maintenant tout effacer sauf les fleurs. Plus de pluies. Plus de mamelons. Rien que nous deux nous traînant dans les fleurs. Assez mes vieux seins sentent sa vieille main.

(1966)

imagination morte
imaginez

Nulle part trace de vie, dites-vous, pah, la belle affaire, imagination pas morte, si, bon, imagination morte imaginez. Iles, eaux, azur, verdure, fixez, pff, muscade, une éternité, taisez. Jusqu'à toute blanche dans la blancheur la rotonde. Pas d'entrée, entrez, mesurez. Diamètre 80 centimètres, même distance du sol au sommet de la voûte. Deux diamètres à angle droit AB CD partagent en demi-cercles ACB BDA le sol blanc. Par terre deux corps blancs, chacun dans son demi-cercle. Blancs aussi la voûte et le mur rond hauteur 40 centimètres sur lequel elle s'appuie. Sortez, une rotonde sans ornement, toute blanche dans la blancheur, rentrez, frappez, du plein partout, ça sonne comme dans l'imagination l'os sonne. A la lumière qui rend

51

si blanc nulle source apparente, tout
brille d'un éclat blanc égal, sol, mur,
voûte, corps, point d'ombre. Forte
chaleur, surfaces chaudes au toucher,
sans être brûlantes, corps en sueur.
Ressortez, reculez, elle disparaît, sur-
volez, elle disparaît, toute blanche dans
la blancheur, descendez, rentrez. Vide,
silence, chaleur, blancheur, attendez, la
lumière baisse, tout s'assombrit de
concert, sol, mur, voûte, corps, 20 secondes environ, tous les gris, la lumière
s'éteint, tout disparaît. Baisse en même
temps la température, pour atteindre
son minimum, zéro environ, à l'instant
où le noir se fait, ce qui peut paraître
étrange. Attendez, plus ou moins longtemps, lumière et chaleur reviennent,
sol, mur, voûte et corps blanchissent
et chauffent de concert, 20 secondes
environ, tous les gris, atteignent leur
palier d'avant, d'où la chute était partie. Plus ou moins longtemps, car peuvent intervenir, l'expérience le montre,
entre la fin de la chute et le début de
la montée des durées très diverses, al-

lant d'une fraction de seconde jusqu'à
ce qui aurait pu, en d'autres temps et
lieux, paraître une éternité. Même
remarque pour l'autre pause, entre la
fin de la montée et le début de la chute.
Des extrêmes, tant qu'ils persistent, la
stabilité est parfaite, ce qui colonne
chaleur peut paraître étrange, dans les
premiers temps. Il arrive aussi, l'expérience le montre, que chute et montée s'interrompent, et cela à n'importe
quel palier, et marquent un temps plus
ou moins long d'arrêt, avant de reprendre, ou de se convertir, celle-là en
montée, celle-ci en chute, pouvant à
leur tour soit aboutir, soit s'interrom-
pre avant, pour ensuite reprendre, ou
de nouveau se renverser, au bout d'un
temps plus ou moins long, et ainsi de
suite, avant d'aboutir à l'un ou à l'autre extrême. Par de tels hauts et bas,
remontées et rechutes, se succédant
dans des rythmes sans nombre, il n'est
pas rare que le passage se fasse, du
blanc au noir et de la chaleur au froid,
et inversement. Seuls les extrêmes sont

stables, comme le souligne la pulsation
qui se manifeste lors des pauses aux
paliers intermédiaires, quelles qu'en
soient la durée et la hauteur. Frémis-
sent alors sol, mur, voûte et corps,
gris blanc ou fumée ou entre les deux
selon. Mais il est plutôt rare, l'expérience le montre, que le passage se
fasse ainsi. Et le plus souvent, quand
la lumière se met à baisser, et avec elle
la chaleur, le mouvement se poursuit
sans heurt jusqu'au noir fermé et au
degré zéro environ, atteints simultané-
ment l'un et l'autre au bout de quelque
20 secondes. De même pour le mouvement contraire, vers la chaleur et
la blancheur. Suit dans l'ordre des fré-
quences la chute ou montée avec temps
d'arrêt plus ou moins longs dans ces
gris fiévreux, sans qu'à aucun moment
le mouvement soit renversé. N'empêche qu'une fois l'équilibre rompu, celui du haut comme celui du bas, le
passage au suivant est variable à l'infini. Mais quels qu'en soient les ha-
sards, le retour tôt ou tard au calme

temporaire semble assuré, pour le moment, dans le noir ou la grande blancheur, avec température afférente,
monde à l'épreuve encore de la convul-
sion sans trêve. Retrouvé par miracle
après quelle absence dans des déserts
parfaits il n'est déjà plus tout à fait
le même, à ce point de vue, mais il
n'en est pas d'autre. Extérieurement
tout reste inchangé et le petit édifice
d'un repérage toujours aussi aléatoire,
sa blancheur se fondant dans l'environ-
nante. Mais entrez et c'est le calme
plus bref et jamais deux fois le même
tumulte. Lumière et chaleur demeu-
rent liées comme si fournies par une
seule et même source dont nulle trace
toujours. Toujours par terre, plié en
trois, la tête contre le mur à B, le cul
contre le mur à A, les genoux contre
le mur entre B et C, les pieds contre
le mur entre C et A, c'est-à-dire inscrit dans le demi-cercle ACB, se confondant avec le sol n'était la longue
chevelure d'une blancheur incertaine,
un corps blanc finalement de femme.

Contenu similairement dans l'autre demi-cercle, contre le mur la tête à A, le cul à B, les genoux entre A et D, les pieds entre D et B, blanc aussi à l'égal du sol, le partenaire. Sur le flanc droit donc tous les deux et tête-bêche dos à dos. Présentez une glace aux lèvres, elle s'embue. De la main gauche chacun se tient la jambe gauche un peu au-dessous du genou, de la droite le bras gauche un peu au-dessus du coude. Dans cette lumière agitée, au grand calme blanc devenu si rare et bref, l'inspection est malaisée. Malgré la glace ils passeraient bien pour inanimés sans les yeux gauches qui à des intervalles incalculables brusquement s'écarquillent et s'exposent béants bien au-delà des possibilités humaines. Bleu pâle aigu l'effet en est saisissant, dans les premiers temps. Jamais les deux regards ensemble sauf une seule fois une dizaine de secondes, le début de l'un empiétant sur la fin de l'autre. Ni gras ni maigres, ni grands ni petits, les corps paraissent entiers et en assez

bon état, à en juger d'après les parties
offertes à la vue. Aux visages non plus,
pour peu que les deux versants se vail-
lent, il ne semble manquer rien d'es-
sentiel. Entre leur immobilité absolue
et la lumière déchaînée le contraste est
frappant, dans les premiers temps, pour
qui se souvient encore d'avoir été sensible au contraire. Il est cependant clair,
à mille petits signes trop longs à imaginer, qu'ils ne dorment pas. Faites
seulement ah à peine, dans ce silence,
et dans l'instant même pour l'œil de
proie l'infime tressaillement aussitôt
réprimé. Laissez-les là, en sueur et gla-
cés, il y a mieux ailleurs. Mais non, la
vie s'achève et non, il n'y a rien ailleurs, et plus question de retrouver
ce point blanc perdu dans la blancheur,
voir s'ils sont restés tranquilles au fort
de cet orage, ou d'un orage pire, ou
dans le noir fermé pour de bon, ou
la grande blancheur immuable, et sinon
ce qu'ils font.

(1965)

bing

Tout su tout blanc corps nu blanc un mètre jambes collées comme cousues. Lumière chaleur sol blanc un mètre carré jamais vu. Murs blancs un mètre sur deux plafond blanc un mètre carré jamais vu. Corps nu blanc fixe seuls les yeux à peine. Traces fouillis gris pâle presque blanc sur blanc. Mains pendues ouvertes creux face pieds blancs talons joints angle droit. Lumière chaleur faces blanches rayonnantes. Corps nu blanc fixe hop fixe ailleurs. Traces fouillis signes sans sens gris pâle presque blanc. Corps nu blanc fixe invisible blanc sur blanc. Seuls les yeux à peine bleu pâle presque blanc. Tête boule bien haute yeux bleu pâle presque blanc fixe face silence dedans. Brefs murmures à peine presque jamais tous sus. Traces fouillis signes sans sens gris pâle presque blanc sur blanc. Jambes collées comme cousues talons joints angle droit. Traces seules inachevées données noires gris pâle presque blanc sur blanc. Lumière chaleur murs blancs rayonnants un mètre sur deux. Corps nu blanc fixe un mètre hop fixe ailleurs. Traces fouillis signes sans sens gris pâle presque blanc. Pieds blancs invisibles talons joints angle droit. Yeux seuls inachevés donnés bleus bleu pâle presque blanc. Murmure à peine presque jamais une seconde peut-être pas seul. Donné rose à peine corps nu blanc fixe un mètre blanc sur blanc invisible. Lumière chaleur murmures à peine presque jamais toujours les mêmes tous sus. Mains blanches invisibles pendues ouvertes creux face. Corps nu blanc fixe un mètre hop fixe ailleurs. Seuls les yeux à peine bleu pâle presque blanc fixe face. Murmure à peine presque jamais une seconde peut-être une issue. Tête boule bien haute yeux bleu pâle presque blanc bing murmure bing silence. Bouche comme cousue fil blanc invisible. Bing peut-être une nature une seconde presque jamais ça de mémoire presque jamais. Murs blancs chacun sa trace fouillis signes sans sens gris pâle presque blanc. Lumière chaleur tout su tout blanc invisibles rencontres des faces. Bing murmure à peine presque jamais une seconde peut-être un sens ça de mémoire presque jamais. Pieds blancs invisibles talons joints angle droit hop ailleurs sans son. Mains pendues ouvertes creux face jambes collées comme cousues. Tête boule bien haute yeux bleu pâle presque blanc fixe face silence dedans. Hop ailleurs où de tout temps sinon su que non. Seuls les yeux seuls inachevés donnés bleus trous bleu pâle presque blanc seule couleur fixe face. Tout su tout blanc faces blanches rayonnantes bing murmure à peine presque jamais une seconde temps sidéral ça de mémoire presque jamais. Corps nu blanc fixe un mètre hop fixe ailleurs blanc sur blanc invisible cœur souffle sans son. Seuls les yeux donnés bleus bleu pâle presque blanc fixe face seule couleur seuls inachevés. Invisibles rencontres des faces une seule rayonnante

blanche à l'infini sinon su que non.
Nez oreilles trous blancs bouche fil
blanc comme cousue invisible. Bing
murmures à peine presque jamais une
seconde toujours les mêmes tous sus.
Donné rose à peine corps nu blanc fixe
invisible tout su dehors dedans. Bing
peut-être une nature une seconde avec
image même temps un peu moins bleu
et blanc au vent. Plafond blanc rayon-
nant un mètre carré jamais vu bing
peut-être par là une issue une seconde
bing silence. Traces seules inachevées
données noires fouillis gris signes sans
sens gris pâle presque blanc toujours
les mêmes. Bing peut-être pas seul
une seconde avec image toujours la
même même temps un peu moins ça
de mémoire presque jamais bing silence. Tombés roses à peine ongles
blancs achevés. Longs cheveux tombés
blancs invisibles achevés. Invisibles ci-
catrices même blanc que les chairs
blessées roses à peine jadis. Bing image
à peine presque jamais une seconde
temps sidéral bleu et blanc au vent.

Tête boule bien haute nez oreilles trous
blancs bouche fil blanc comme cousue
invisible achevée. Seuls les yeux donnés bleus fixe face bleu pâle presque
blanc seule couleur seuls inachevés.
Lumière chaleur faces blanches rayonnantes une seule rayonnante blanche à
l'infini sinon su que non. Bing une nature à peine presque jamais une seconde
avec image même temps un peu moins
toujours la même bleu et blanc au
vent. Traces fouillis gris pâle yeux
trous bleu pâle presque blanc fixe face
bing peut-être un sens à peine presque
jamais bing silence. Blanc nu un mètre
fixe hop fixe ailleurs sans son jambes
collées comme cousues talons joints
angle droit mains pendues ouvertes
creux face. Tête boule bien haute yeux
trous bleu pâle presque blanc fixe
face silence dedans hop ailleurs où de
tout temps sinon su que non. Bing
peut-être pas seul une seconde avec
image même temps un peu moins œil
noir et blanc mi-clos longs cils suppliant
ça de mémoire presque jamais. Au loin

temps éclair tout blanc achevé tout
jadis hop éclair murs blancs rayonnants sans traces yeux couleur dernière hop blancs achevés. Hop fixe dernier ailleurs jambes collées comme cousues talons joints angle droit mains
pendues ouvertes creux face tête boule
bien haute yeux blancs invisibles fixe
face achevés. Donné rose à peine un
mètre invisible nu blanc tout su dehors dedans achevé. Plafond blanc jamais vu bing jadis à peine presque
jamais une seconde sol blanc jamais
vu peut-être par là. Bing jadis à peine
peut-être un sens une nature une seconde presque jamais bleu et blanc au
vent ça de mémoire plus jamais. Faces
blanches sans traces une seule rayonnante blanche à l'infini sinon su que
non. Lumière chaleur tout su tout
blanc cœur souffle sans son. Tête boule
bien haute yeux blancs fixe face vieux
bing murmure dernier peut-être pas
seul une seconde œil embu noir et
blanc mi-clos longs cils suppliant bing
silence hop achevé.

(1966)

sans

Ruines vrai refuge enfin vers lequel
d'aussi loin par tant de faux. Lointains sans fin terre ciel confondus pas
un bruit rien qui bouge. Face grise
deux bleu pâle petit corps cœur battant seul debout. Eteint ouvert quatre
pans à la renverse vrai refuge sans
issue.

Ruines répandues confondues avec
le sable gris cendre vrai refuge. Cube
tout lumière blancheur rase faces sans
trace aucun souvenir. Jamais ne fut
qu'air gris sans temps chimère lumière
qui passe. Gris cendre ciel reflet de la
terre reflet du ciel. Jamais ne fut que
cet inchangeant rêve l'heure qui passe.

Il maudira Dieu comme au temps
béni face au ciel ouvert l'averse passagère. Petit corps face grise traits
fente et petits trous deux bleu pâle.

Faces sans trace blancheur rase œil calme enfin aucun souvenir.

Chimère lumière ne fut jamais qu'air gris sans temps pas un bruit. Faces sans trace proches à toucher blancheur rase aucun souvenir. Petit corps soudé gris cendre cœur battant face aux lointains. Pleuvra sur lui comme au temps béni du bleu la nuée passagère. Cube vrai refuge enfin quatre pans sans bruit à la renverse.

Ciel gris sans nuage pas un bruit rien qui bouge terre sable gris cendre. Petit corps même gris que la terre le ciel les ruines seul debout. Gris cendre à la ronde terre ciel confondus lointains sans fin.

Il bougera dans les sables ça bougera au ciel dans l'air les sables. Jamais qu'en rêve le beau rêve n'avoir qu'un temps à faire. Petit corps petit bloc cœur battant gris cendre seul debout. Terre ciel confondus infini sans relief petit corps seul debout. Dans les sables sans prise encore un pas vers les lointains il le fera. Silence pas un souffle

même gris partout terre ciel corps
ruines.

Noir lent avec ruine vrai refuge
quatre pans sans bruit à la renverse.
Jambes un seul bloc bras collés aux
flancs petit corps face aux lointains.
Jamais qu'en rêve évanoui ne passa
l'heure longue brève. Seul debout petit
corps gris lisse rien qui dépasse quelques trous. Un pas dans les ruines
les sables sur le dos vers les lointains
il le fera. Jamais que rêve jours et nuits
faits de rêves d'autres nuits jours meilleurs. Il revivra le temps d'un pas il
refera jour et nuit sur lui les lointains.

En quatre à la renverse vrai refuge
sans issue ruines répandues. Petit corps
petit bloc parties envahies cul un seul
bloc raie grise envahie. Vrai refuge
enfin sans issue répandu quatre pans
sans bruit à la renverse. Lointains sans
fin terre ciel confondus rien qui bouge
pas un souffle. Faces blanches sans
trace œil calme tête sa raison aucun
souvenir. Ruines répandues gris cendre
à la ronde vrai refuge enfin sans issue.

Gris cendre petit corps seul debout
cœur battant face aux lointains. Tout
beau tout nouveau comme au temps
béni régnera le malheur. Terre sable
même gris que l'air le ciel le corps les
ruines sable fin gris cendre. Lumière
refuge blancheur rase faces sans trace
aucun souvenir. Infini sans relief petit
corps seul debout même gris partout
terre ciel corps ruines. Face au calme
blanc proche à toucher œil calme enfin
aucun souvenir. Encore un pas un seul
tout seul dans les sables sans prise il
le fera.

Eteint ouvert vrai refuge sans issue
vers lequel d'aussi loin par tant de
faux. Jamais que silence tel qu'en imagination ces rires de folle ces cris.
Tête par l'œil calme toute blancheur
calme lumière aucun souvenir. Chimère l'aurore qui dissipe les chimères
et l'autre dite brune.

Il ira sur le dos face au ciel rouvert
sur lui les ruines les sables les lointains. Air gris sans temps terre ciel
confondus même gris que les ruines

lointains sans fin. Il refera jour et nuit
sur lui les lointains l'air cœur rebattra.
Vrai refuge enfin ruines répandues
même gris que les sables.

Face à l'œil calme proche à toucher
calme tout blancheur aucun souvenir.
Jamais qu'imaginé le bleu dit en poésie
céleste qu'en imagination folle. Petit
vide grande lumière cube tout blancheur faces sans trace aucun souvenir.
Ne fut jamais qu'air gris sans temps
rien qui bouge pas un souffle. Cœur
battant seul debout petit corps face
grise traits envahis deux bleu pâle.
Lumière blancheur proche à toucher
tête par l'œil calme toute sa raison
aucun souvenir.

Petit corps même gris que la terre
le ciel les ruines seul debout. Silence
pas un souffle même gris partout terre
ciel corps ruines. Eteint ouvert quatre
pans à la renverse vrai refuge sans
issue.

Gris cendre ciel reflet de la terre
reflet du ciel. Air gris sans temps terre
ciel confondus même gris que les rui-

nes lointains sans fin. Dans les sables
sans prise encore un pas vers les lointains il le fera. Il refera jour et nuit
sur lui les lointains l'air cœur rebattra.

Chimère lumière ne fut jamais qu'air
gris sans temps pas un bruit. Lointains sans fin terre ciel confondus rien
qui bouge pas un souffle. Pleuvra sur
lui comme au temps béni du bleu la
nuée passagère. Ciel gris sans nuage
pas un bruit rien qui bouge terre sable
gris cendre.

Petit vide grande lumière cube tout
blancheur faces sans trace aucun souvenir. Infini sans relief petit corps seul
debout même gris partout terre ciel
corps ruines. Ruines répandues confondues avec le sable gris cendre vrai
refuge. Cube vrai refuge enfin quatre
pans sans bruit à la renverse. Jamais
ne fut que cet inchangeant rêve l'heure
qui passe. Jamais ne fut qu'air gris
sans temps chimère lumière qui passe.

En quatre à la renverse vrai refuge
sans issue ruines répandues. Il revivra
le temps d'un pas il refera jour et nuit

sur lui les lointains. Face au calme
blanc proche à toucher œil calme enfin
aucun souvenir. Face grise deux bleu
pâle petit corps cœur battant seul
debout. Il ira sur le dos face au ciel
rouvert sur lui les ruines les sables
les lointains. Terre sable même gris
que l'air le ciel le corps les ruines
sable fin gris cendre. Faces sans trace
proches à toucher blancheur rase aucun
souvenir.

Cœur battant seul debout petit corps
face grise traits envahis deux bleu pâle.
Seul debout petit corps gris lisse rien
qui dépasse quelques trous. Jamais que
rêve jours et nuits faits de rêves d'autres nuits jours meilleurs. Il bougera
dans les sables ça bougera au ciel dans
l'air les sables. Un pas dans les ruines
les sables sur le dos vers les lointains
il le fera. Jamais que silence tel qu'en
imagination ces rires de folle ces cris.

Vrai refuge enfin ruines répandues
même gris que les sables. Ne fut jamais
qu'air gris sans temps rien qui bouge
pas un souffle. Faces blanches sans

trace œil calme tête sa raison aucun souvenir. Jamais qu'en rêve évanoui ne passa l'heure longue brève. Cube tout lumière blancheur rase faces sans trace aucun souvenir.

Eteint ouvert vrai refuge sans issue vers lequel d'aussi loin par tant de faux. Tête par l'œil calme toute blancheur calme lumière aucun souvenir. Tout beau tout nouveau comme au temps béni régnera le malheur. Gris cendre à la ronde terre ciel confondus lointains sans fin. Ruines répandues gris cendre à la ronde vrai refuge enfin sans issue. Jamais qu'en rêve le beau rêve n'avoir qu'un temps à faire. Petit corps face grise traits fente et petits trous deux bleu pâle.

Ruines vrai refuge enfin vers lequel d'aussi loin par tant de faux. Jamais qu'imaginé le bleu dit en poésie céleste qu'en imagination folle. Lumière blancheur proche à toucher tête par l'œil calme toute sa raison aucun souvenir.

Noir lent avec ruine vrai refuge quatre pans sans bruit à la renverse.

Terre ciel confondus infini sans relief petit corps seul debout. Encore un pas un seul tout seul dans les sables sans prise il le fera. Gris cendre petit corps seul debout cœur battant face aux lointains. Lumière refuge blancheur rase faces sans trace aucun souvenir. Lointains sans fin terre ciel confondus pas un bruit rien qui bouge.

Jambes un seul bloc bras collés aux flancs petit corps face aux lointains. Vrai refuge enfin sans issue répandu quatre pans sans bruit à la renverse. Faces sans trace blancheur rase œil calme enfin aucun souvenir. Il maudira Dieu comme au temps béni face au ciel ouvert l'averse passagère. Face à l'œil calme proche à toucher calme tout blancheur aucun souvenir.

Petit corps petit bloc cœur battant gris cendre seul debout. Petit corps soudé gris cendre cœur battant face aux lointains. Petit corps petit bloc parties envahies cul un seul bloc raie grise envahie. Chimère l'aurore qui dissipe les chimères et l'autre dite brune.

(1969)

CET OUVRAGE A ÉTÉ ACHEVÉ D'IM-
PRIMER LE HUIT DÉCEMBRE MIL-
NEUF CENT SOIXANTE DOUZE SUR
LES PRESSES DE L'IMPRIMERIE
CORBIÈRE ET JUGAIN A ALENÇON ET
INSCRIT DANS LES REGISTRES DE
L'ÉDITEUR SOUS LE NUMÉRO 890.

Imprimé en France